郑栗儿/著

黄宜葳 张志杰/绘

大师密码 A–Z系列

大师密码S

一个人一千双手

人民东方出版传媒
People's Oriental Publishing & Media
東方出版社
The Oriental Press

图书在版编目（CIP）数据

大师密码．S，一个人一千双手 / 郑栗儿著；黄宜葳，张志杰绘．—北京：东方出版社，2015.11
ISBN 978-7-5060-8743-8

Ⅰ．①大…　Ⅱ．①郑…②黄…③张…　Ⅲ．①儿童故事—作品集—中国—当代　Ⅳ．①I287.5

中国版本图书馆 CIP 数据核字（2015）第 267100 号

本书由台湾东初文化事业股份有限公司独家授权
中文简体字版专有权属东方出版社
著作权合同登记号 图字：01-2014-7443 号

大师密码 S：一个人一千双手
（DASHI MIMA S: YIGEREN YIQIANSHUANG SHOU）

作　　者：郑栗儿
绘　　者：黄宜葳　张志杰
产品经理：张媛媛
责任编辑：张媛媛
出　　版：东方出版社
发　　行：人民东方出版传媒有限公司
地　　址：北京市东城区朝阳门内大街 166 号
邮政编码：100706
印　　刷：小森印刷（北京）有限公司
版　　次：2016 年 3 月第 1 版
印　　次：2016 年 3 月第 1 次印刷
印　　数：1—5 000 册
开　　本：720 毫米 ×950 毫米　1/16
印　　张：5
字　　数：48 千字
书　　号：ISBN 978-7-5060-8743-8
定　　价：18.00 元
发行电话：（010）64258117 64258115　64258112

目 录

出版前言

每个父母都希望孩子未来能出类拔萃，并在孩子的教育问题上倾尽心力。

许多孩子长大后成熟乐观，在社会上如鱼得水，但不少人成年后并不快乐。他们即使地位显赫、经济条件优越，依然郁郁寡欢。带来快乐的因素有很多，其中起决定作用的则是人格。面对同样的问题，不同的人格往往造就不同的结果。

怎样才能培养健全的人格？我们不妨到传统文化中去寻找答案。几千年来，儒、道、佛相得益彰，共同塑造着国人的精神世界。儒家关切社会的治理，道家关怀生命自然状态的保持，而佛家则关心人生痛苦的解除。故此，历史上就有“儒家治世、道家治身、佛家治心”的说法。

今天很多人习惯于将佛教简单理解为一种宗教，有的人甚至认为它是封建迷信。如果去掉宗教的外衣，它其实是一座充满智慧，兼具心理、品德教育功能的文化宝库。

为此，我们从台湾引进了这套“大师密码”A–Z 系列。这套书以 130 个佛教大师的成长故事，体现了 130 个美好的人格特质。沉着、孝顺、无畏、远见……从这些有趣的故事里，孩子们不但可以学会如何获得成功，更能明白如何倾听内心的声音，获得快乐。

这套书结构编排巧妙，集合了台湾优秀的作家及插画师。书中故事生动活泼，插画精美，在台湾广受好评，曾获得台湾“第 27 次中小学生优良课外读物推介”。相信它同样会得到大陆青少年朋友的喜爱。

大师的密码　成功的特质

在我还是青少年时，就很喜欢阅读佛教大师的传记故事。可以说，我的人格就是从阅读大师的史传故事，点点滴滴建立起来的。

不论大人、小孩都喜欢读故事，法鼓文化历时两年的筹备，制作了这套有丰富精美插画的“大师密码”A–Z系列。这套书中，选出130个“大师的美好特质”，一个特质就是一个大师故事，让孩子在趣味的故事中自然吸收大师的养分。

我曾指出佛教的高僧必须具有四大条件：持戒清净、修行精进、慈悲济众与护持佛法；如果转换成现代人的语汇，就是自律、认真、宽大、懂得回馈，而这些正是所有成功人士必备的条件。

很多家长以为孩子学佛会变得消极、不具竞争力；如果从大师的四大条件来看，这样的想法完全错误！孩子接触佛法绝对会更积极、健康，能为他们的一生奠定稳固的基础。

大师们的成就绝非偶然，也没有人一出生就是大师，父母应该提供这样的环境，让人格正在成长形塑中的孩子，吸收历代大师们的生命菁华，转化为他们自己的。我相信这一套“大师密码”A–Z系列，能够成为孩子们成长的助缘！

聖嚴

台湾法鼓山禅修文教体系创办人

一个人一千双手

大师密码 Service 服务

日本千观大师名字的由来，据说是因为他的母亲向千手观音祈求生子而得名，所以便以千手观音命名以示感谢。也因为这样的奇特缘分，千观长大后便在比叡山出家了。

学问出众的千观深受醍醐天皇的器重，在朝廷道场担任僧官。他曾应天皇请托重建毁于洪水的爱宕念佛寺，并造出一千二百座姿态生动的石罗汉，成为镇寺重宝。虽然千观名盛一时，但他感觉自己只是空有虚名，日复一日地生活而已。后来，千观幸好路上巧遇空也上人，被一针见血地点破他的烦恼心，千观当场脱除一身华服，走入山林修行。远离宫廷的他，摇身一变，成为人间的千手观音，经常在渡口边通过帮助人们搬运东西，助人学佛。由于他总是笑口常开，所以死后被尊称为“笑佛”。

小档案 千观

- 国籍：日本
- 别称：笑佛
- 专长：艺文创作、佛学研究
- 影响：为日本最早的佛赞撰写人
- 事迹：在渡口帮助人们搬运物品

“喂，借过！借过！船来了，我们要卸货了！”

淀川渡口边一群搬运的工人开始骚动起来，穿过准备登船的人们，迎接即将靠岸的船只。

听到船来的消息，一名原本在石阶上静坐的出家人也站了起来，戴上斗笠，慢慢地走到搬运工人的后面。

船只的缆绳被船夫抛到岸上后，牢牢地拴在岸边石墩上，等船停妥后，船上的乘客一一上岸，搬运工人则利落地跃到船尾，将托运的货物一件件抬下来，准备送到当地的商家；有些行李多的有钱人家懒得提行李，花几个钱，也叫搬运工人帮忙抬到等候的马车上。

眼看搬运工人一个个都离去了，只剩下那位出家人，这时出家人看见一位老妇人携着小孙女，背上还背着一个大包袱，重得都快走不动了，便走过去对老妇人说：“我来帮您拿吧！”

老妇人说：“我自己来就好，我没钱雇你搬东西。”

出家人笑着说：“我不收钱的。”

老妇人仔细一看，眼前要替她背包袱的竟然是一位僧人，赶忙说：“哪敢劳烦师父帮我呢！”

出家人亲切地说："我一直在这渡口免费帮人搬东西，您就别客气了。"

老妇人这才放心地将包袱交给他，跟在后头叹气说："我真命苦啊！儿子死得早，媳妇又改嫁了，留下这可怜的小孙女，我只好拖着虚弱的身体去把她接回来，幸好遇见您帮我拿行李。"

出家人安慰老妇人说："您可以多念佛，让心得到平静，在苦境中让佛成为您的依靠，就一定会离苦得乐的！"

老妇人一听，心里舒坦多了，连忙说："师父说得是，我要好好念佛，离苦得乐！"

等走出了渡口，来到大街上，老妇人的同乡已经等待多时了，他们一同谢过出家人的热心帮忙，一旁的小孙女这时突然开口了：“师父，您叫什么名字？为什么不在寺里念经，要在渡口帮人搬东西呢？”

出家人低下头，摸摸小女孩的头说：“我叫千观，我在渡口帮人搬东西，就是为了帮助你们啊！”

小女孩点点头，向千观挥手告别，送走这祖孙俩，千观转身走回渡口，等着下一个需要帮忙搬运的船客。

回渡口的路上，小女孩刚刚的问题，又出现在千观的脑海里，他自言自语笑着说：“为什么在渡口帮人搬东西呢？这该感谢空也上人的启示吧！”

出身贵族之家的千观，原本在比叡山❶出家，从小聪慧过人的他，很快就成为一名出类拔萃的学僧，不但担任宫廷的僧官，还奉醍醐天皇之命，把被洪水毁坏的爱宕念佛寺重新兴建起来，并打造了一千二百座石雕罗汉❷像，轰动了全日本。

虽然享有盛名和宫廷的礼遇，但千观总觉得不踏实，心中常有一些疑问："我出家难道是为了求得安稳的生活吗？我是为了求心的安稳才出家的，可是我该怎么修行呢？"

❶ **比叡山**：为日本天台宗山门派的大本山。

❷ **罗汉**：为断尽烦恼，超越生死轮回，修行成正果的佛教圣者。

有一天，千观在宫廷法会结束后，返程时从车内瞧见路边一位穿着粗布僧衣的和尚，顶着大太阳，汗流浃背地在赶路。千观再仔细一看，这位僧人竟是著名的空也上人，于是千观赶紧让侍者停车。

侍者急忙停住车子，千观下车来到空也上人面前，谦恭地问他："请问，要怎么修行，来世才能获救呢？"

面对忽然跑来一位穿着华丽僧服的僧官，突兀地问自己有关修行的问题，空也一脸错愕地回答："你在说什么啊！像我这种卑贱的和尚，怎么会知道来世如何得救呢？这问题应该是我请教你这位当官的和尚才是。"说完就要走了。

千观不因空也上人的拒绝而打退堂鼓，他知道空也上人是一位有修行的高僧，此次机不可失，于是便伸手拉住他的袖子，急切地问：“请和尚大发慈悲，指引一条明路。”

空也上人见他求法心切，回说：“总之，非要舍身不可。”话一说完就快步离去，留下千观一人怔在原地。这时，千观立刻脱下华丽的僧衣，交给侍者说：“你走吧！我另有要事，得去别的地方。”

遣走满脸疑惑的侍者后，千观独自一人走向箕面山。

箕面山有许多隐居的僧人和居士在这里修行，千观在观音院定居下来，开始念佛、著书，后来他又移往离淀川渡口不远的一座小庵，不时可见往来渡口的、各式各样的人，有的携家带眷，有的孑然一身，每个人手中都拎着沉重的包袱，就像人的一辈子所背负的烦恼一样。

看着这些人，千观突发奇想："空也上人要我舍身才能成道，我过去曾是高贵的僧官，要舍身，就要放下身段去服务众生，不如去渡口帮忙搬运行李好了。渡口是渡河的起点，人群拥塞嘈杂，提着重担更令人心烦，如果有人帮忙拿东西，一定心怀感谢，也更利于传教，而这正是在'度众生'啊！"

从此，千观便常到淀川渡口，免费替人搬运行李。

渡口的搬运工人都是一群粗汉，常常在抢运货时，不小心把千观绊倒在地，或者嫌他搬运的速度不够快而斥责道：“快点让开，别慢吞吞地挡在路上！”

也有人对他叨念：“你这样免费帮人搬东西，不是很蠢吗？还好你帮的都是没钱的人，没有抢走我们的生意！”这些搬运工人虽然粗鲁，却没有心机，渐渐地，他们也把千观当作自己人，甚至送他食物，因为不管遇到什么事情，千观总是笑容满面的。

后来地方上的人们都知道千观不是一个普通的搬运工人，而是位满腹佛学的高僧，对他更是另眼相看。仰慕的人群常聚集在他住的小庵里，众人觉得这庵实在太小了，提议改建为寺院，千观禅师本来不愿意，但大家心意已定，共同集资建了金龙寺，从此，千观禅师便全心在此弘法。后来千观禅师去世后，人们特别替他造了一座笑容满面的像，称为“笑佛”，就像他本人一样，带着可亲的笑容，为他人服务。

念佛的野人

大师密码 Simple 简朴

唐朝的承远住在山洞里，过着野人一样的原始生活，没饭吃就吃泥土，完全看不出他就是带动万人念佛的著名大师。

二十四岁在荆州玉泉寺出家的他，原本也住在寺院里研读经论，但当慧日法师劝他不要只顾个人修行，要念佛广利大众后，他宛如大梦初醒一般，离开了寺院，展开了“阿弥陀佛打击乐”的巡回演出。

不论是荒山野地、大城小镇，他每天拿着锤子到处敲敲打打地刻佛号。刚开始没什么受众，但当大家发现大街小巷都充满佛号时，不禁好奇地随他念起佛来，不久就变成最热门的“阿弥陀佛合唱团”。

但承远禅师本人从不因自己变得炙手可热而骄傲，照样过着清贫的生活，他还说破茅草屋就是阿弥陀佛的莲花台呢！

小档案 承远

- 国籍：中国
- 别称：莲宗三祖
- 专长：念佛
- 影响：带动社会念佛的风气
- 事迹：皇帝亲访，仍不改简朴生活

有一个商人因为做生意失败了，欠下许多债务，一时想不开，想要跳崖自尽，经过的人纷纷提醒他说：“最近山上出现一个野人，你要小心啊！”

商人心想："我都快要死了，还怕什么野人呢！"便不顾劝告，仍然径直往山顶走去。

当商人好不容易爬到一座巨崖上，他叹了一口气，准备往下跳时，突然瞥见一旁岩石上刻着斗大的"阿弥陀佛"四个字。

他走到岩石前，盯着工整有力的刻字，嘴里不断跟着诵念：“阿弥陀佛。”念着念着，不知不觉想死的念头不见了，连负债失意的抑郁也消失了，他觉得好像得到了阿弥陀佛的抚慰，不禁放声哭了起来，宣泄着内心积压已久的不良情绪。

就在此时，商人眼尖地发现前方不远处有一位穿着破旧、面貌污黑的“野人”，正对着岩石“叩！叩！叩！”地不知在敲击什么，他心头一惊：“这不会是人们说的‘野人’吧！他该不会害我吧？”

原本说不怕野人的他，已经不想死了，所以又怕起了野人，但忍不住好奇心，偷偷走到一旁，观察“野人”在做什么。

只见“野人”正一心一意地在岩石上刻字，商人仔细一看，刻的内容竟然跟刚刚所见的“阿弥陀佛”一模一样，原来救自己一命的，正是这位衣衫褴褛的“野人”。

这时，“野人”忽然开口说话了：“人身可贵，佛法难得，对于身外之物不要太在意，时时勤念阿弥陀佛，净化心灵，以求往生西方净土❶世界。”

商人立刻明白了这可不是什么野人，而是一位大修行者，于是跪在他面前说：“多谢师父的启发！”

修行者也没回话，只顾着把字刻好，刻完后，点了下头，就带着他的工具离开了，往下一个地方继续刻佛号❷。

❶ **西方净土**：指阿弥陀佛所住的极乐世界。

❷ **佛号**：诸佛菩萨的名号，如“阿弥陀佛”。诵念佛号可帮助身心保持专注、稳定、清明。

商人下山后，向众人澄清野人的传闻，人们这才明白原来山上住着一位高僧，几经打听，才知道那是受慧日法师教化、虔诚信仰净土法门[3]的承远法师，为了专心修行，才到山岩下，用树枝茅草遮盖洞穴以便清静修行。

[3] **净土法门**：往生佛国净土、出离生死的法门。

“难不成我们在街道上、溪谷旁或石桥边，所看到的阿弥陀佛佛号都是他刻的吗？”人们这样揣测着。

也有人问说：“他为何这么做呢？”

问的人立刻被周围人数落一顿：“这还要问，当然是鼓励我们念佛，得到平安，死后往生极乐世界了！”

米

人们因此开始拿着衣食、捡了木材和石头放在承远住的洞穴外，想让他的生活能够好过一些，并为他盖了间可以遮蔽风雨的佛寺，但承远法师很少露面，不刻意地拒绝或接受人们的供养，一如往常地刻字、念佛，过着简朴的生活。

一天，一位贫苦的妇人，因为丈夫过世，自己又生了重病，无法工作，只好叫自己的两个孩子到山上捡柴来卖钱，一大早两个孩子就出门了，可到了夕阳都快落山时，还不见孩子们的踪影，妇人心里急得要命。最后总算听到门吱呀一声打开，孩子们终于回来了，不但背了一整担的薪柴，还带着一包米和满满的食物。

母亲担心地对孩子们说：“哪来这么多东西呢？你们不会是去偷的吧！”

大儿子抢着回答：“是山上的承远师父给我们的，他说，这是信徒送他的，他用不着，叫我们拿去用，还好心帮我们背回来呢！”

一旁的小儿子也补充说：“他还说多念佛，就能解除痛苦。”

母亲的眼泪夺眶而出，她连忙问孩子们：“师父呢？赶紧请他进来，我们要好好谢他一番啊！”

等到孩子们冲到门外时，承远法师的背影早已消失在夕阳里了。

后来，跟着承远法师念佛的人，随着他刻的佛号一样愈来愈多，但承远法师依旧住在山洞里，自己捡拾柴禾，有人送他食物，他就吃送的东西，没有人送食物的话，吃土石泥沙也无所谓，村里人看不过去了，彼此商量着：“师父这么辛苦，常常人家给他的衣物，他转手送给别人，自己吃泥土果腹，而且还没有一间像样的佛寺可以居住，不如我们来帮他建造一间好了！”

大家便一起上山向承远法师说出他们的想法，承远法师平静地回说：“吃泥土也没什么不好，泥土也有营养啊！你们不用忙着帮我建造佛寺，我在这里住得很舒服啊！”

村民们回说："师父，就当作是您为我们建造这座佛寺好了，让我们以后有一个安心念佛的地方，我们也可以在这里好好听您说法，一起修行。"

这个提议打动了承远法师，他便和信徒们共同建造了一座佛寺，取名为"弥陀寺"。人们原以为佛寺建好以后，承远法师的生活也会改善许多，没想到承远法师还是坚持简朴的作风，只管弘法的事，不管自己的衣食好坏，寺里只要有多出的物资，他都拿去送给贫病的老百姓。

在庐山修行的法照，有一次在禅定❹时，看见了极乐世界，还看见一位穿着破旧的僧人站在阿弥陀佛旁边，阿弥陀佛跟他说：“这是衡山的承远法师。”

法照因此专程去寻找承远，当他看到承远法师果然跟禅定中所见的法师相似时，便决定追随承远，并问承远法师为什么能如此刻苦。承远认真地回答说：“我刚开始学佛时，什么都学不会，好不容易才找到自己的法门，跟念佛相应，如果不好好念佛，岂不是浪费时光吗？”

从此，承远法师身边多了个念佛的好搭档，无论是在山里、溪边，除了可以看到承远法师手刻的佛号外，还能听到师徒两人的念佛声久久回荡在山谷间。

❹ **禅定**：令心专注于某一对象，达到不散乱的状态。较深的禅定可以让身心安乐、寂静，并超越各种烦恼障碍。

乱世的莲花

大师密码

Self-reliance 自立自强

莲花开在莲花池不稀奇，要把一场场战火变成一朵朵清净的白莲花，可就不简单了。净土宗始祖慧远创造了奇迹，把秽土变成净土，带给人们安心的和平力量。

生于东晋乱世的慧远，从小好学不倦，熟读儒家经典。二十一岁时，原想追随一代名儒范宣子隐居，由于战乱无法通行，所以改为拜访名僧道安，结果此行改变了他一生的道路。他与弟弟慧持因为景仰道安大师度化大众的慈悲心与智慧力，便双双随他出家了。

在慧远四十五岁时，前秦攻陷襄阳掳走了道安大师，慧远带领弟子们前往南方传法，后在庐山东林寺定居，创立白莲社，专修净土法门。虽然慧远三十多年未曾下山，但他所种下的净土莲花，早已芬芳满天下了。

小档案 慧远

- 国籍：中国
- 谥号：辨觉大师
- 专长：禅修、医疗、文学
- 影响：莲宗始祖
- 事迹：离开师父，带领弟子们在战乱中传法

慧远像热锅上的蚂蚁一般在寺院里走来走去，心底有点慌张，看着师兄弟们从师父道安的房间里进进出出，不知道什么时候才会轮到自己。

慧远深吸了一口气，自我安慰说："没关系，再等一下，师父就会叫我进去了！"

此刻，襄阳城的战争危机已经暂时解除了，风雨前的宁静却让人格外不安。为了掳走道安大师让他到北方传法，前秦苻坚派来的大军包围了整座襄阳城，道安大师不愿百姓受到牵连，答应去北方传法，他同时解散了门人，分派他们到各个地方驻足，让佛法可以四处流传。

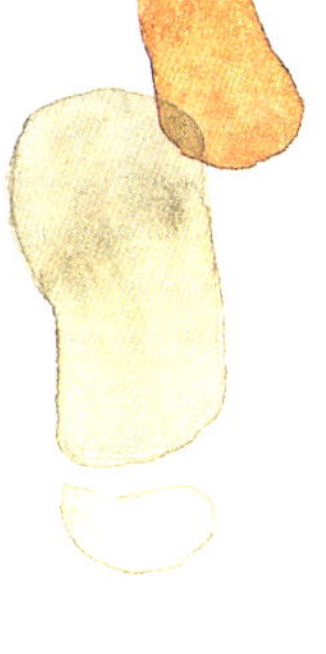

现在，他正传唤一些弟子，一个个对他们耳提面命：“昙翼、法遇，你们两人前往江陵，昙翼负责说法的工作，法遇负责僧团的运作，记住！你们一定要齐心齐力，才能有所作为。”

道安大师几位重要的弟子都已经从师父那边领到了任务，准备动身启程，唯独慧远，师父还迟迟没有叫他。

慧远很心急，一方面要离开在一起二十五年的师父，心中非常不舍，另一方面师父跟别人一再叮嘱半天，却唯独漏了自己。

看着昙翼、法遇从师父的房间走出来，慧远鼓起勇气，敲了敲师父的房门："师父，我能进去吗？"

道安大师的声音从房内传来："是慧远啊，进来吧！"

慧远走进房内，看见道安大师脸色有些憔悴，知道眼前形势紧迫，道安大师一定是为了弘法布局的事而伤神，于是，慧远便说：“师父，您累了！要多休息。”

道安回答：“我不累，一切都安排妥当后，我也就放心了！”

慧远忍不住问说：“可是师父，您还没教诲我呢？”

道安大师笑着回答：“所有的弟子中我最放心的就是你，他们都还需要我费心去安排，而你到任何地方都没有问题，哪还需要师父的嘱咐呢？”

慧远一听，眼泪忍不住掉下来：“但是我以后就见不到师父了！”

道安大师拍拍他的肩膀：“慧远，你要开心，因为你终于可以自立自强了！这样你才会变得更强大，你需要的不是师父的教诲，而是独当一面的机会。加油！我相信你不会辜负师父的期望。”

慧远点点头，带着师父的期许，率领数十个僧人往南走，准备到广东传法。在经过庐山时，却被这片横看成岭侧成峰的绝美山色所吸引，便向其他人说：“这里环境清幽，很适合做道场。”

一旁的弟子东看看、西看看，疑惑地问：“师父，这附近没有水源啊！”

“没有水源吗？”慧远在周围走了一圈，然后停在一棵巨大的松树旁，用锡杖敲打地面，虔诚地说：“如果我有幸可以在此修行的话，就请流出泉水吧！”

不一会儿，一滴滴水珠果真从土里冒出来，弟子们赶紧用棍杖去挖，挖着挖着，竟然涌出一道清澈的泉水。

于是慧远就在庐山安住了下来，后来慕名而来的僧众愈来愈多，在江州刺史桓伊的协助下，另外建造了一座东林寺。

东林寺造好的第二年，北方却传来了坏消息，师父道安大师在长安过世了，慧远站在庐山的峰顶上，遥视北方，心中默祷：“师父！我一定会继承您的佛法大业，建立一个端正有序的僧团。”

慧远决定效法道安师父，以严谨的佛教规制，率领僧众虔心修行，不但著书译经，还派弟子去印度取经，建立了清净的道场，成为当时清新脱俗的佛门榜样，更被尊为南方的佛教领袖，和北方的鸠摩罗什[1]遥相呼应。

[1] **鸠摩罗什**：西域龟兹国人，为中国佛教四大译经家之一。

“师父，谢灵运居士来访！”

慧远亲自出来迎接，谢灵运恭敬地说：“师父，我特别来向您请求开示。”这位东晋第一文人，向来孤高自傲，从不服人，对慧远却是心服口服。

“怎么了？”慧远关切地问。

谢灵运叹气说：“唉！现在世道纷乱，不仅昏君当道，恶臣掌权，连叛贼都出来作乱，真是让人痛心疾首，不知如何处世！”

慧远劝他说：“我们之所以会活在如此艰辛的时代，一定是有一个道理要我们去学习，与其抱怨生不逢时，不如好好让自己修行，培养福慧。”

谢灵运一听，心中豁然开朗起来："是！经师父这么一说，我觉得活着又有希望了，您真是乱世里的一朵高洁莲花！"

慧远送谢灵运到寺前的虎溪，两人在潺潺的溪水边告辞。

无论是王公贵族，或是贩夫走卒，慧远都一视同仁地对待他们，像野心勃勃的政客桓玄、北方后秦皇帝姚兴，甚至是土匪叛军，慧远也都以平等的态度和他们交往。

当桓玄成为东晋的第一权臣，掌控了整个政权后，慧远收到他的来信，原来是请慧远出来当官，信中写着："学佛不如当官，所有荣华富贵尽在眼前，何必苦苦追求死后的净土❷世界！"

慧远看完信后，笑了笑，和他一起出家的弟弟慧持问他："这个桓玄可说是仗势欺人的政客，您几次称病不见他，他却跑来找您，还说了一些不礼貌的话，现在又有什么事要来打扰您呢？"

慧远将来信内容告诉了慧持，并语气坚定地说："我们宁可自立自强，做自己的主人，也万万不能依附权势。"

❷ **净土**：佛所居住的清净国土。

慧持点头称是，接着慧远拿出笔墨，亲手写了一封礼貌的回绝信。

不久，桓玄又给他出了一道难题，因为桓玄认为僧人应该礼敬帝王，看到皇帝必须下跪，所以桓玄要求慧远要公开呼吁僧人遵守这项规定。

慧远不畏权势，又写了一篇名为《沙门不敬王者论》的文章，表明出家人已经是世外之人，不受世俗和礼教的约束，所以不存在礼敬帝王的问题。桓玄看完文章后，虽然内心并不十分同意，但见慧远说得头头是道，他想了想，便撤回原先所颁布的“沙门须礼敬王者”命令，化解了一场佛门危机。

在庐山住了三十多年的慧远，虽未踏入世俗社会，每次送客都到东林寺前的虎溪为止，可他的影响力却遍及了整个中国。

七匹马的眼泪

大师密码　Skillful 善巧

印度的马鸣大师在戏剧上的魅力，绝对是空前绝后的，因为他所编写的戏剧，才演出短短几小时，就让五百位王子在一夕之间，自愿放弃尊贵身份，全体追随马鸣出家学佛，可见马鸣大师的非同凡响！

马鸣出生于婆罗门家庭，年少即精通多种学问，辩才无碍。他曾因辩倒多位佛教智者，所以轻视佛教，直到遇到胁尊者后，才发现自己所学有限，从此潜心研究佛法。才气纵横的他，可不是个只会读书的书呆子，不但长于佛学研究、创作诗文，还能够自编自导、自弹自唱演出戏曲，据说只要欣赏过他的作品，就能领会人生真理，智慧大开。

马鸣大师留下了多部优美动人的戏剧作品，是开启印度佛教文学先河的一代大师。

小档案　马鸣

- 国籍：印度
- 别称：付法藏第十二祖
- 专长：写诗、编剧、音乐演奏
- 影响：为重要佛教文学家与大乘佛教先驱
- 事迹：巧妙说法，连马都被感动了

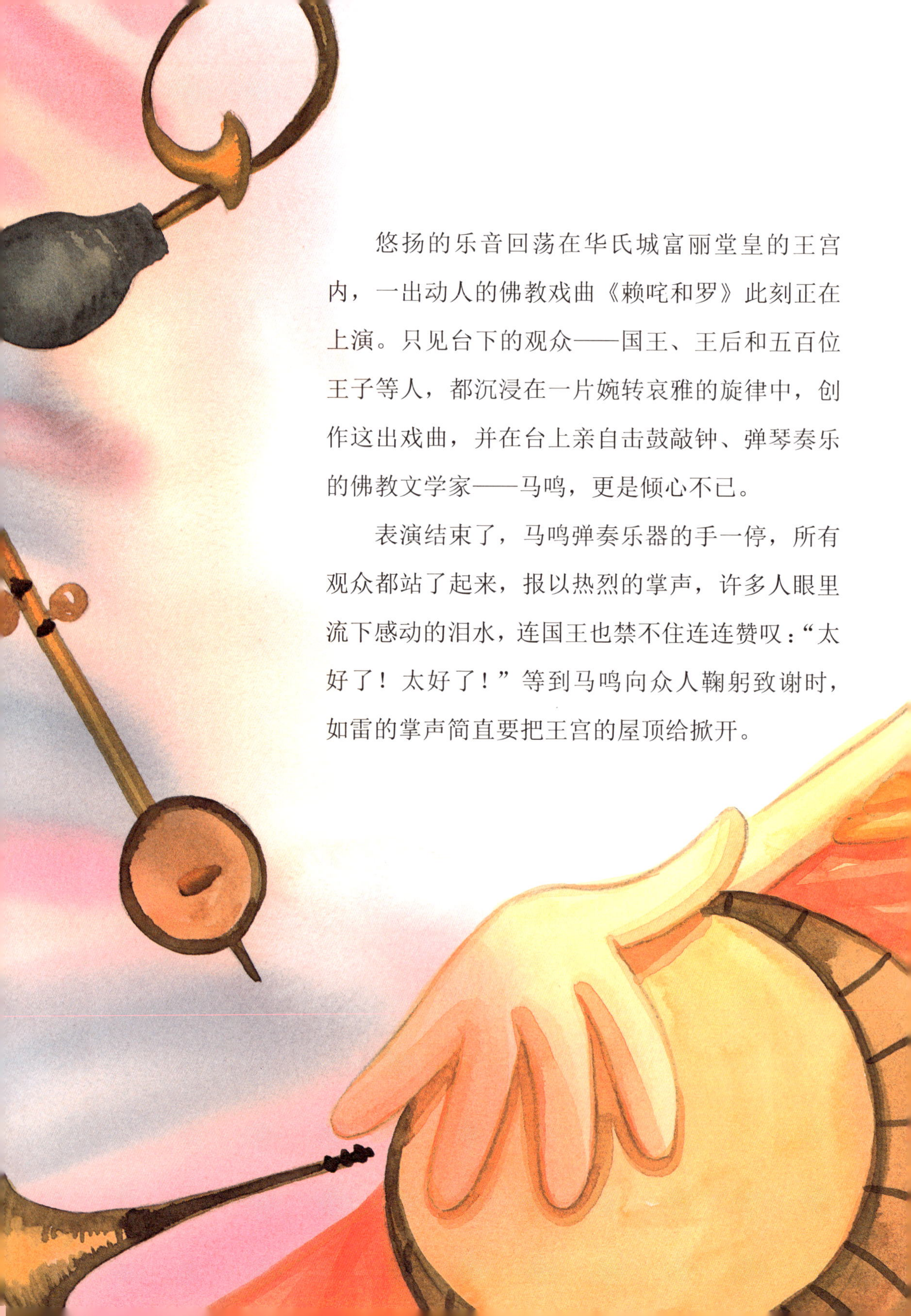

悠扬的乐音回荡在华氏城富丽堂皇的王宫内，一出动人的佛教戏曲《赖吒和罗》此刻正在上演。只见台下的观众——国王、王后和五百位王子等人，都沉浸在一片婉转哀雅的旋律中，创作这出戏曲，并在台上亲自击鼓敲钟、弹琴奏乐的佛教文学家——马鸣，更是倾心不已。

表演结束了，马鸣弹奏乐器的手一停，所有观众都站了起来，报以热烈的掌声，许多人眼里流下感动的泪水，连国王也禁不住连连赞叹：“太好了！太好了！”等到马鸣向众人鞠躬致谢时，如雷的掌声简直要把王宫的屋顶给掀开。

又过了两天，发生了一件震撼人心的事！

去看戏曲的那五百名王子因为太感动了，便决定一起追随马鸣师父出家："马鸣师父，我们已经看透了世间的荣华富贵，请让我们追随您出家吧！"

马鸣师父点点头说："很好，但应该先得到你们父王同意。"

国王知道后吓了一大跳：“什么？所有的王子都要出家，那谁来继承王位呢？当然不行！”接着他又喃喃地说：“这个马鸣实在太厉害了，一场表演就拉走了我所有孩子的心，以后不能再让他演出戏曲了！”

国王立刻下令全面禁演马鸣的作品，并将他驱逐出境，就在马鸣师父离开的那一晚，五百名王子趁着夜深人静时，也偷偷地出城，追随马鸣师父的脚步，踏上了寻求真理的道路。

从小就是文艺天才的马鸣，在学佛后，就运用他流畅的文笔，结合音乐戏曲的才华，写出一篇篇佛教史诗，不论是赞叹佛陀生平的《佛所行赞》，或是集合百部经典精华的《大乘起信论》，都是大乘佛教不可缺少的重要文献。马鸣师父以音乐、文学感动了人们的心，为他赢得了佛教诗人、音乐家的美名。

马鸣师父度化五百名王子的消息，很快就传遍了整个印度，声名更远播到北印度小月氏国国王的耳朵里。当马鸣师父转往摩揭陀国说法时，小月氏国国王竟然派出大批军队赶到王舍城，逼迫摩揭陀国交出三亿黄金，不然就让马鸣师父到小月氏国传法。

摩揭陀国王急得浑身冒汗：“我去哪里筹三亿黄金呢？可是我又舍不得马鸣师父离开，如果听不到他优美的乐章，会让我觉得人生无趣呢！”

马鸣听说此事后，主动跟国王表达了自愿去小月氏国的想法：“就算没有我的地方，还是有佛法的存在，所以请不要因为我，而使摩揭陀国陷入战争的危机，我愿意去小月氏国传法。”

马鸣说服了摩揭陀国国王后，便跟随军队来到小月氏国，小月氏国国王一看到这位风度翩翩的优雅比丘站在自己面前时，内心自然非常高兴，可是他也起了一个念头：“听说这个马鸣师父很会说法，而且不管是创作文学、音乐或戏曲，都能感动人心。但是感动人心有什么难的呢？如果连动物的心都能感动的话，那才真令人刮目相看呢！”

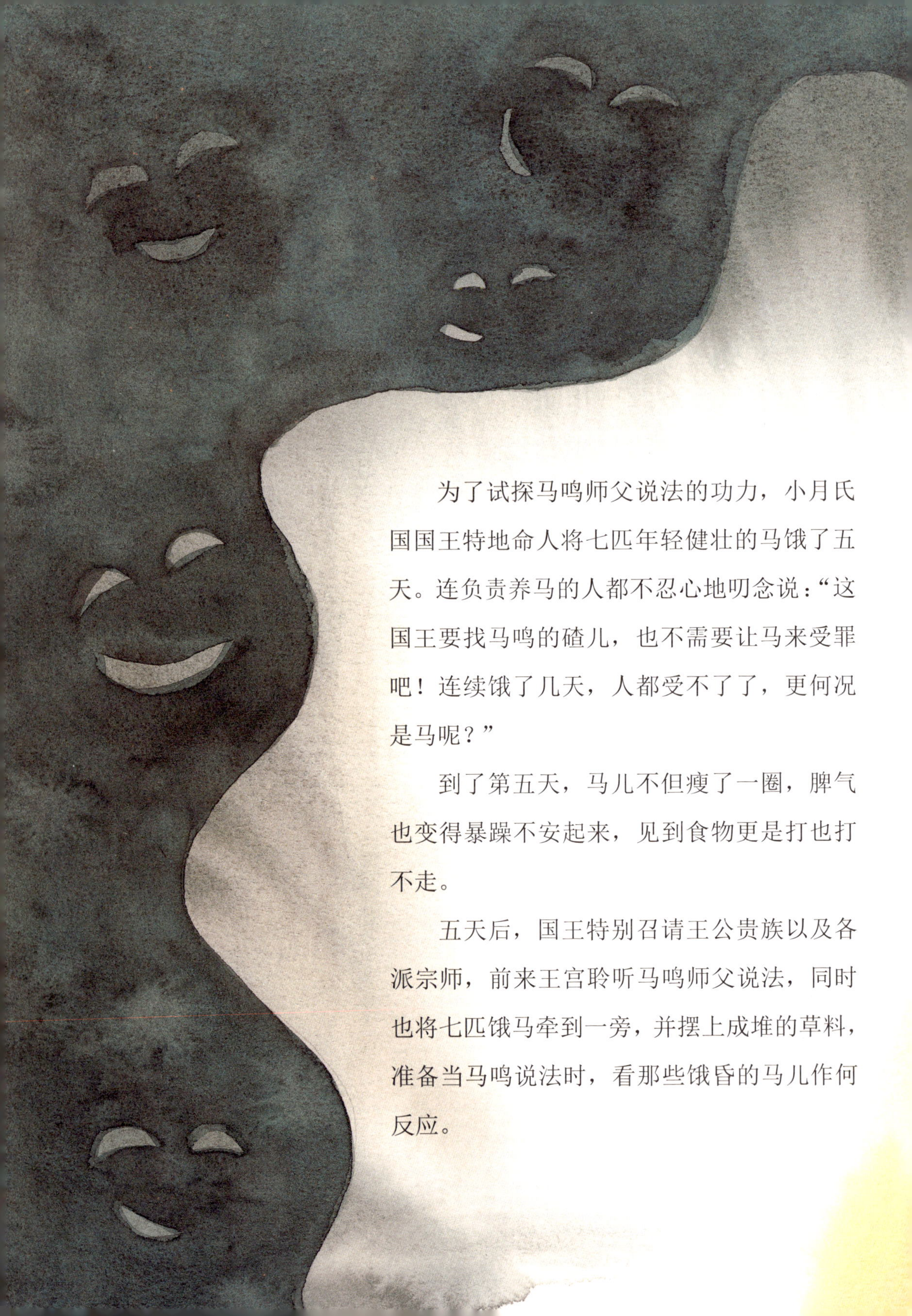

为了试探马鸣师父说法的功力，小月氏国国王特地命人将七匹年轻健壮的马饿了五天。连负责养马的人都不忍心地叨念说：“这国王要找马鸣的碴儿，也不需要让马来受罪吧！连续饿了几天，人都受不了了，更何况是马呢？”

到了第五天，马儿不但瘦了一圈，脾气也变得暴躁不安起来，见到食物更是打也打不走。

五天后，国王特别召请王公贵族以及各派宗师，前来王宫聆听马鸣师父说法，同时也将七匹饿马牵到一旁，并摆上成堆的草料，准备当马鸣说法时，看那些饿昏的马儿作何反应。

在场的许多人，心里忍不住窃笑：“小月氏国国王这一招，真是高妙，牲畜就是牲畜，就算再有灵性，也抵挡不了食物的诱惑，更何况是饿了好几天的马儿呢？这下马鸣师父要露怯了！”

他们每一个人都露出诡异的笑容，连国王也一副等着看好戏的模样。

这一切马鸣当然都知道，但是他依然从容不迫地坐在座位上，以感人的语气，诚挚的态度，慢慢说出了佛陀的故事：“从前有一位悉达多王子，他虽然住在王宫里，却非常不快乐，因为在这里，他找不到他的人生意义……”

随着马鸣师父抑扬顿挫的声调，一则则关于佛陀教化的故事，就像行云流水一般流进每一个人的内心，全场一片静寂，大家全神贯注地倾听着马鸣师父所说的故事，随着故事里的佛陀一起苦行锻炼、一起得道开悟……对于马儿有没有吃草来扰乱马鸣一事，早已忘得一干二净。

直到马鸣师父讲完了所有的故事，才突然发现那七匹马竟然也跟着大家一起聆听着马鸣师父说法，眼前的饲料一点都没动，马儿不但忘记了吃草，甚至还落下眼泪，声声嘶鸣，表示应和。

“太神奇了！我为您善巧的说法感到由衷地钦佩！”小月氏国国王恭敬地向马鸣师父顶礼，并请求马鸣师父原谅他的愚蠢，因为他竟然怀疑大师的能力。

其余众人也纷纷向马鸣师父顶礼，请求拜他为师，马鸣则离开了座位，来到七匹饿马的身边，拿起草料喂它们，所有的马儿都开心地叫着。马鸣笑着对大家说：“今天我除了为你们说法之外，更为这七匹马说法，连马儿都有灵性，可以理解佛陀的教诲，相信你们更有得道的机会了！”

七匹马儿纷纷昂首长鸣，似乎也同意马鸣师父的说法，一时间马儿鸣叫的声响撼动了整个天地。

开心孩子王

大师密码 Satisfied 满足

日本的良宽身为长子，出身显赫，长大后要继承家族的庞大事业，但是他生性正直单纯，不喜欢为了权势而降低自己的人格。有次在处理乡人纠纷发生不公时，他觉得做人要忠于自己，不能口是心非，便到光照寺出家了。

博通各宗各派修行方法的他，被称为是“杂炊宗”，淡泊名利的他，喜欢自由自在地到各地行走参访，并辞谢了所有寺院邀请他当住持的机会，最后他在四十七岁时，落脚于云崎国只有半坪大小的五合庵。

良宽过着乞食的清苦生活，却不以为苦，喜欢和孩子们玩耍。良宽虽经常穷到没饭吃，但他拥有丰富的精神食粮，贴在墙上的诗作从没间断过，这些深具启发性的文学作品，也让精神贫苦的人们，因此得到满足。

小档案 良宽

- 国籍：日本
- 别称：孩子王
- 专长：写诗、玩游戏
- 影响：诗文作品流传千古
- 事迹：放弃奢华生活，为日本清贫生活的典范人物

在海滨的杉林里，一群孩子正在快乐地玩耍，一名穿着旧布衣的中年出家人，慢慢地走过来，孩子们见到他，都开心地大叫：“良宽师父，快点来玩捉迷藏啊！”

良宽笑着应说：“哦！来啦！”

小孩们齐声说：“你先扮鬼。”

良宽点点头，手蒙着脸，靠在巨大的杉树旁，开始数着：“一、二、三……”孩子们一哄而散，有的藏在石头后面，有的躲入洞穴里头，还有的躲进树林里。

良宽睁开眼睛，大声说：“鬼来捉你们了！”然后认真地寻找他们的踪迹，完全就像是一个小孩儿，让人忘记了他的年纪。

一旁经过的村民，知道良宽师父又在跟小朋友玩，忍不住说：“这师父根本就是个孩子王，住破草房、喝稀粥也无所谓，每天还这样快活游戏，真是懂得满足的人哩！”

不一会儿，一个孩子被良宽抓到了，换他扮鬼，良宽和其他小孩赶忙躲起来。

“要躲到哪里呢？”良宽发现隐秘的地方都让小孩儿先躲去了，自己却没有了藏身之处，这时他突然灵机一动：“嗯，有了！躲到那里一定不会被找到。”

良宽跑到附近农民正在晒太阳的干草堆上，藏了起来。这干草又松又软，躺在上面舒服极了，躺了没多久，他不知不觉就睡着了。

这时，扮鬼的小孩儿已经把躲藏的孩子们都抓出来了，就是找不到良宽师父，所有人都一起帮忙找，还喊着："良宽师父！不用躲了！"但就是找不到他。

其中一个孩子说：“良宽师父应该回家了吧！”听说良宽师父走了，孩子们都没了兴致，只好回家不玩了，留下良宽在干草堆上睡大觉，还梦见了好久以前的往事。

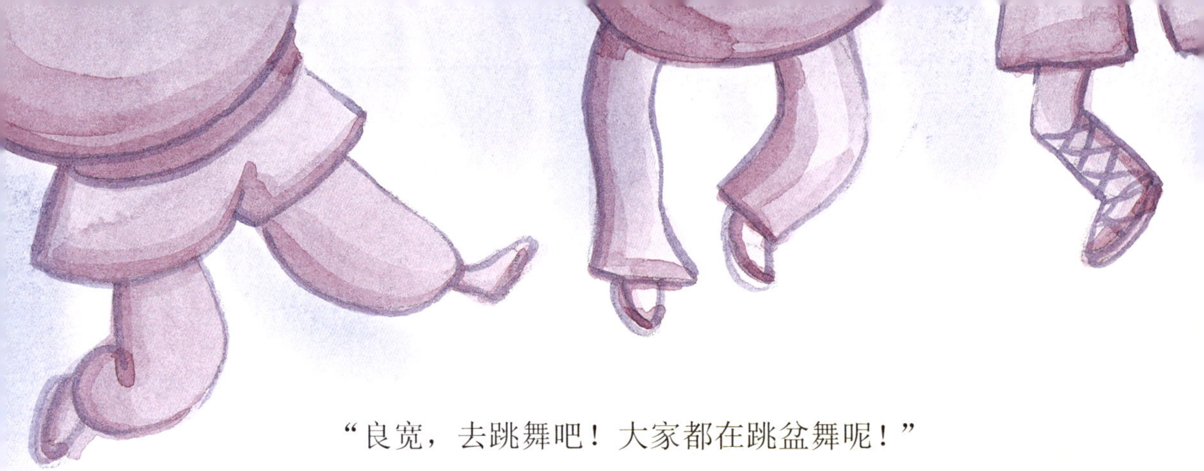

“良宽，去跳舞吧！大家都在跳盆舞呢！”

盂兰盆节❶的黄昏，街上的男女老少都热衷于跳舞，平常只要有一本书可以读，就心满意足的良宽，此时被母亲叫住了。原来母亲怕他跟不上潮流，特意把他叫出去跟大家跳舞。七八岁的良宽很听话，便走出家门。

等到太阳完全下山，天都黑了，母亲觉得庭院的石灯笼旁好像有个人影，探头一看，竟然是良宽坐在旁边，拿着一本《论语》在读，母亲喊他：“你怎么没去跳舞？”

良宽抬起头对母亲笑说：“您别担心我，我知道做什么事，可以让自己真正地满足。”

后来良宽十八岁就在光照寺出家修行了，他做一些种田、砍柴、煮饭等劳动，师父破了和尚特别叮嘱他：“你砍柴时，把砍柴当作佛事来做；煮饭时，也把煮饭当作佛事来做，做任何事都把它当作是佛事，尽心尽力去做，这就是佛道。”

❶ **盂兰盆节**：佛教徒于每年农历七月十五日举办的法会，以超度祖先的鬼道众生。

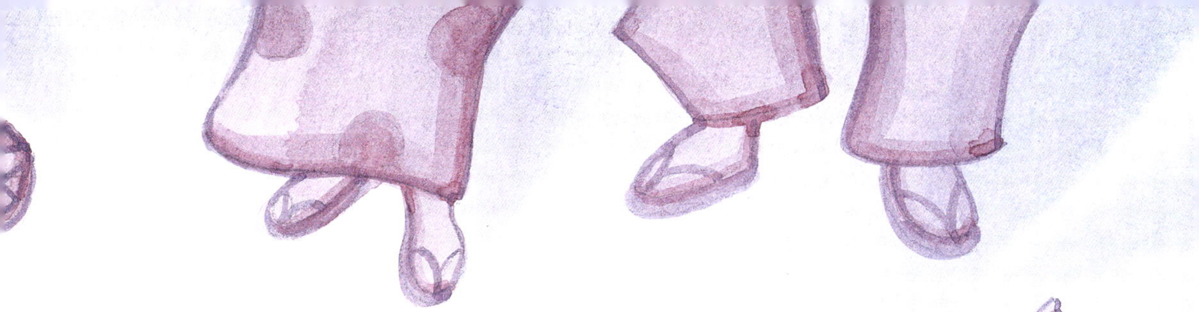

良宽很聪慧，一听就懂，所以当别人做这些劳动叫苦连天时，他却能乐在其中，师兄们疑惑地问他：“我看，你连洗一千个碗都能笑得出来。”

良宽微笑着回答：“那真是我的荣幸，能够把一千个碗洗得干干净净，整整齐齐放在碗柜上，你不觉得很棒吗？”

师兄们彻底服了他：“你真容易满足呀！”

经过这样努力的修行，良宽终于得到证悟。后来，他开始云游四方，随身只带着一只钵碗。最后，他在一处海滨杉林里发现了一座大约只有半坪大的废弃小空庵，就问附近的邻居：“我可以住在这里吗？”

邻居一看是位修行的和尚，赶忙回说：“这座空庵已经很久没人住了，又脏又乱，不如到我家住吧！”

良宽回答：“不会啊！我觉得挺好的，有个地方遮蔽风雨已经是莫大的福气了，怎么好意思再打扰你们呢！”

良宽师父的话说完后，就住进了空庵，隔天邻居走过去一看，和尚不见了，原来到附近村里托钵去了，原本脏乱的破庵已经被他打扫得干干净净，重新有了生机。邻居留了一些包子给他，没多久，良宽过来道谢，还把包子还回来：“我已经有了足够的食物，够我今天吃的，这包子您拿回去吧！”

邻居不肯，回说：“您留着明天吃吧！”

没想到良宽师父拿了回去后，却不是自己享用，而是把包子分给乞丐和鸟兽吃了，因为良宽只要有当天够吃的食物就知足了，他不会向人多要些当作备粮。就这样过了半年，附近的人们都知道来了一位有德行的高僧，有人送吃的，有人送穿的，纷纷前来供养，但是良宽依然只取自己所需要的，其余的都分赠出去了。

良宽师父的事迹传到了故乡，大家都很惊讶："那真的是良宽吗？他贵为地主的后代，能够抛下荣华富贵，安于这种清贫的生活，真是不简单。"

有人特地跑去探望良宽，进去一看，发现他不在空庵里，桌上只有一副笔砚，炉上一口土锅，旁边放了一两根木柴，墙壁上题着一首又一首的禅诗。

虽然庵里什么都没有，但是良宽却还是过得非常惬意，自己跑去捡木头，翻土种菜，需要米和钱时，就沿着小山路走到村子里化缘，还不时停下脚步和孩童们一起打弹珠、放风筝，或者说故事给他们听，玩得不亦乐乎。

像现在，他玩捉迷藏都玩到睡着了，并一直睡到第二天清晨，农民来拿干草时，才发现了良宽：“师父，您怎么在这里睡着了呢？”

良宽从草堆上爬起来，赶紧把手指放在嘴巴上低声说：“嘘！你说话太大声了，等一下小孩儿发现后，会把我捉住的。”原来良宽还在玩捉迷藏呢！

农民摸摸头说：“可是这里没有任何小孩儿啊！”

良宽一看，天都亮了：“难道这迷藏玩得太久，大家都走了吗？哈哈，那我也走吧！谢谢你的干草堆，真的很舒服。”

农民目送着离去的良宽说："师父，您真的到哪里都很自在！"

良宽笑答："我有什么不满足呢？整个天地是我的家，宇宙星辰，虫鸣鸟叫，还有春天的樱花和秋天的落叶，这一切都是我所拥有的，我当然自在又快乐啊！"